Se préparer à mon **opération des amygdales**

Livre sur les amygdales pour les enfants – Préparation et convalescence

Ce livre appartient à

____

Écrit par la Dr Fei Zheng-Ward Illustré par Moch. Fajar Shobaru

Identifiants : ISBN 979-8-89318-203-3 (eBook)
ISBN 979-8-89318-204-0 (Livre de poche)

Saviez-vous que l'on peut voir ses amygdales ?

Si vous ouvrez grand la bouche et que vous vous regardez dans un miroir, vous les verrez probablement au fond de votre gorge.

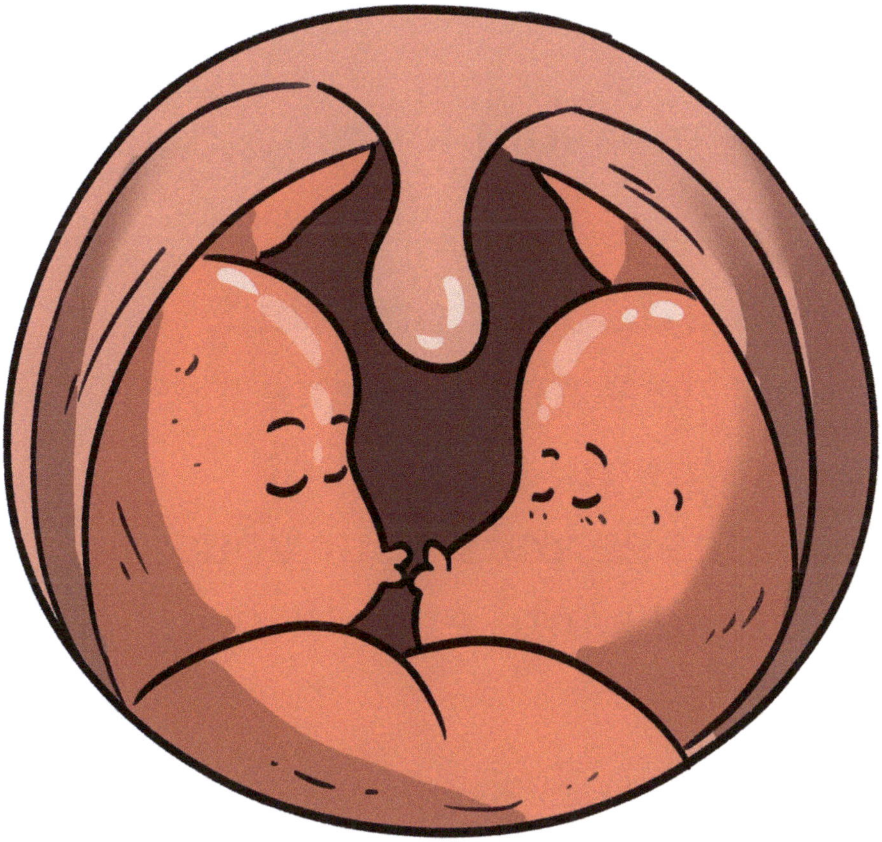

Anecdote amusante : les « amygdales qui s'embrassent » sont des amygdales géantes qui se touchent au milieu de la gorge.

As-tu des amygdales qui se touchent ?

____ OUI ____ NON

Savez-vous ce que sont les amygdales ?

Elles font partie des nombreux éléments de votre système immunitaire qui piègent et combattent les germes pour vous garder en bonne santé et en forme.

Comme votre corps comporte de nombreux autres éléments du système immunitaire, vous n'avez pas besoin de vos amygdales, surtout si elles vous font vous sentir mal.

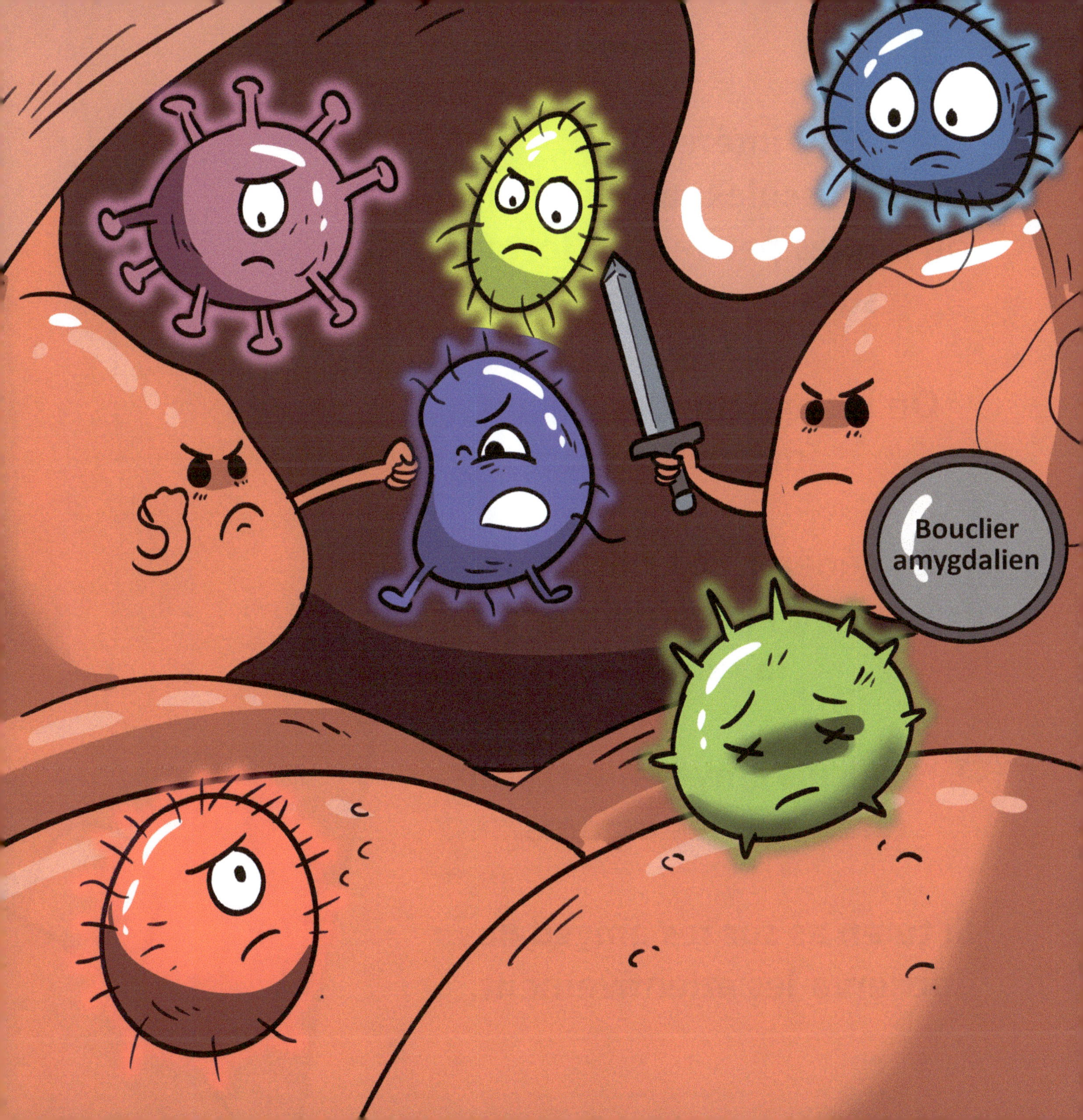
Bouclier amygdalien

Fait intéressant :
de minuscules calculs blancs
ou jaunes peuvent se former
sur vos amygdales.

On les appelle des calculs
amygdaliens.

En général, ces calculs ne
présentent aucun danger pour
la santé.

Les calculs amygdaliens sont
rares chez les enfants.

Si tu en as sur tes amygdales,
observe-les attentivement.

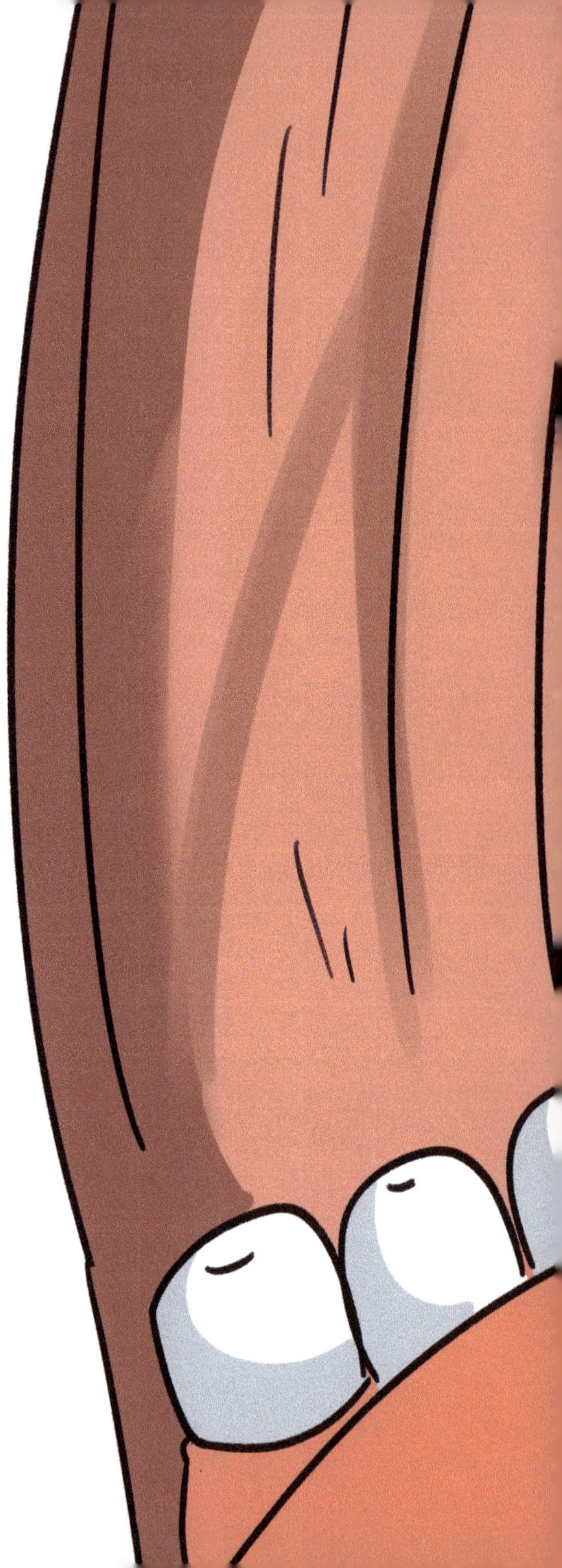

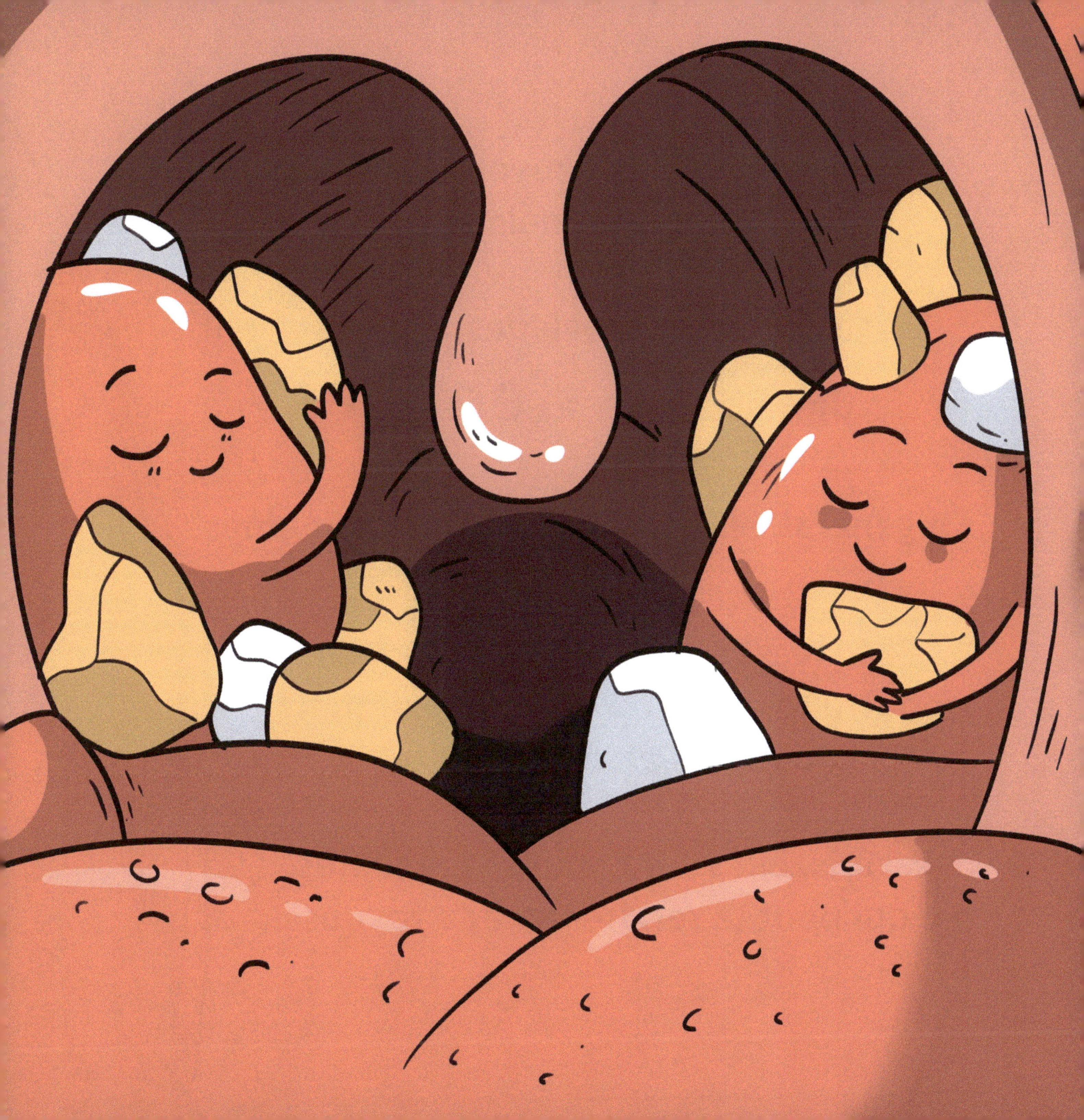

Vos amygdales peuvent elles aussi
tomber malades.

Lorsqu'elles sont malades, elles peuvent
devenir rouges et **enflées**.

En général, elles guérissent d'elles-mêmes.

Si ce n'est pas le cas, ton médecin
pourra te prescrire des médicaments
pour les aider à guérir.

Parfois, elles sont souvent malades,
ce qui peut te rendre malade toi aussi.

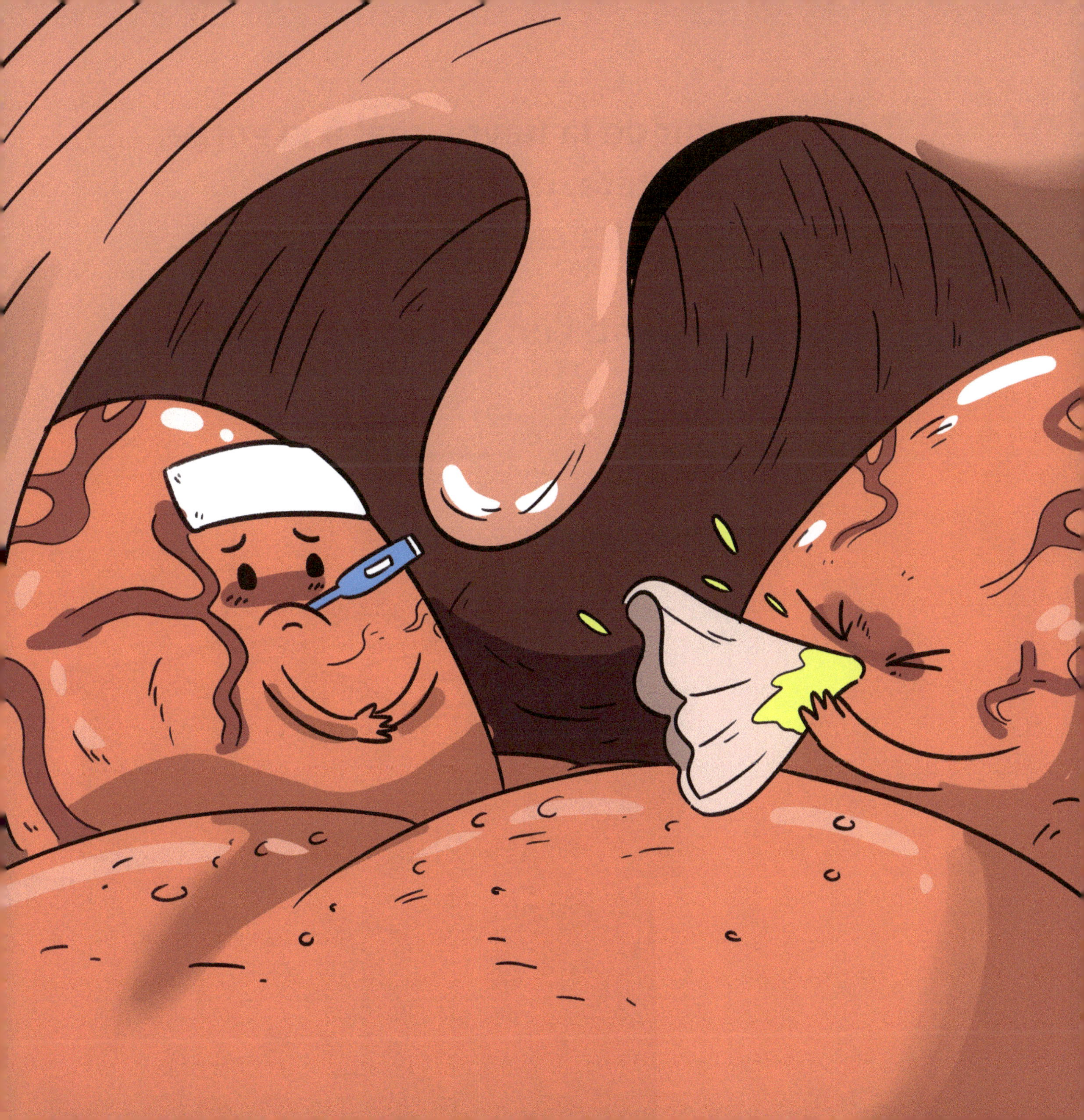

Tu peux avoir de la fièvre, mal à la gorge, mal à la tête, mal aux oreilles, une mauvaise haleine et peu d'appétit.

As-tu déjà ressenti l'un de ces symptômes ?

____ OUI ____ NON

Il peut être difficile de manger et d'avaler quand on a mal à la gorge.

Mais essaie de boire de l'eau, du jus de fruits ou ta boisson préférée pour aider ton corps à combattre les germes et à guérir.

Indique ci-dessous ta boisson préférée.

____

Parfois, tes amygdales enflées peuvent te faire ronfler bruyamment, comme un ours.

Est-ce que quelqu'un t'a déjà dit que tu ronflais la nuit ?

_____ OUI   _____ NON

Selon vous, quel animal ronfle le plus fort ?

Écris ta réponse ci-dessous.

____

Ton médecin, qui est attentionné et bienveillant, peut écouter ton cœur et tes poumons, examiner tes oreilles et ton nez, et inspecter tes amygdales.

Parfois, il peut te recommander de te faire enlever les amygdales pour que tu te sentes mieux.

Votre médecin vous a-t-il dit que vos amygdales étaient grosses ?

____ OUI ____ NON

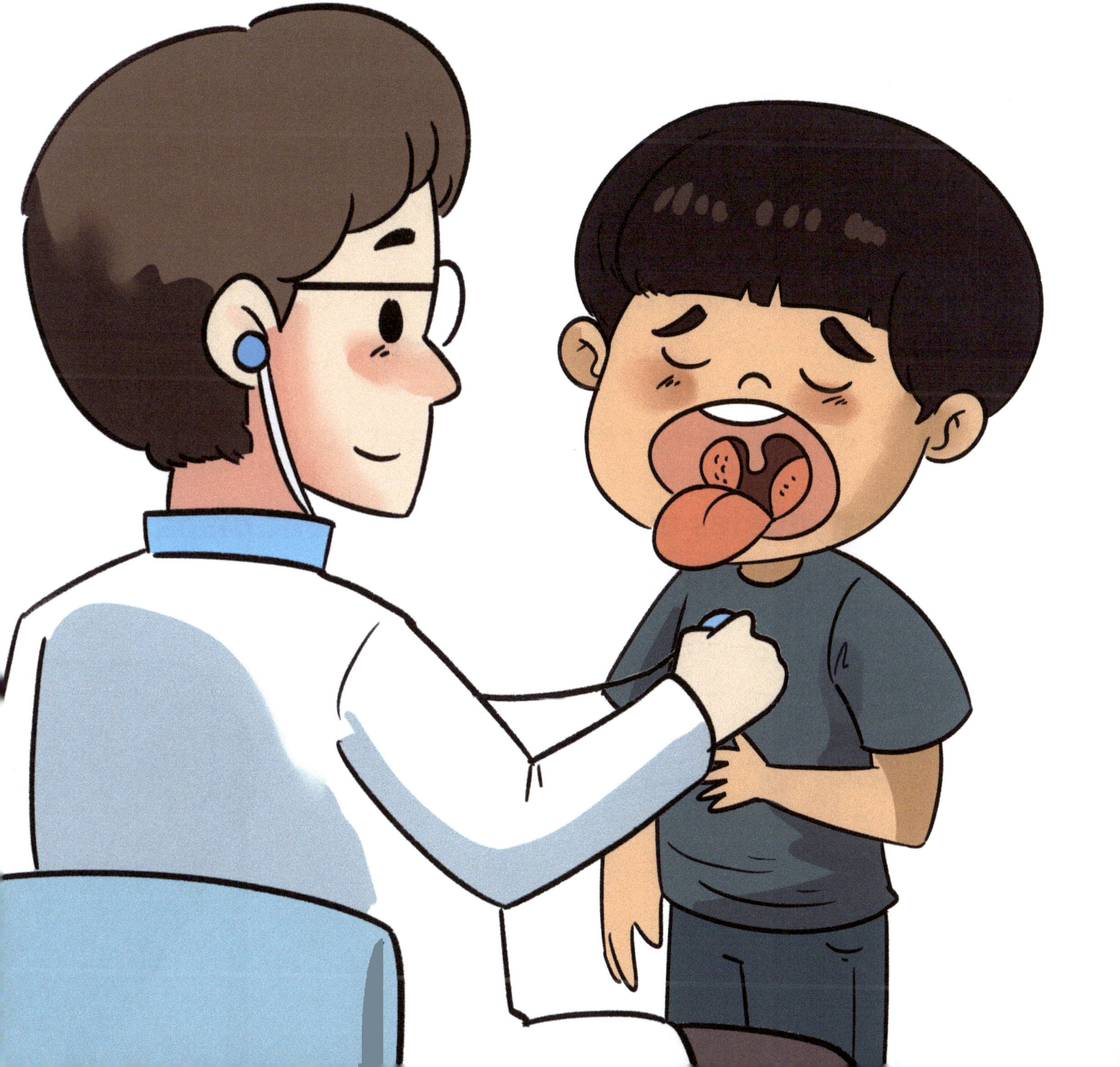

Votre médecin, qui est très sympathique, peut facilement vous retirer les amygdales. C'est une intervention rapide et simple, et vous ne sentirez absolument rien !

Tu seras endormi et tu rêveras pendant toute la durée de l'opération.

De quoi aimerais-tu rêver pendant ton opération ?

Vos amygdales auront complètement disparu avant que vous ne vous réveilliez.

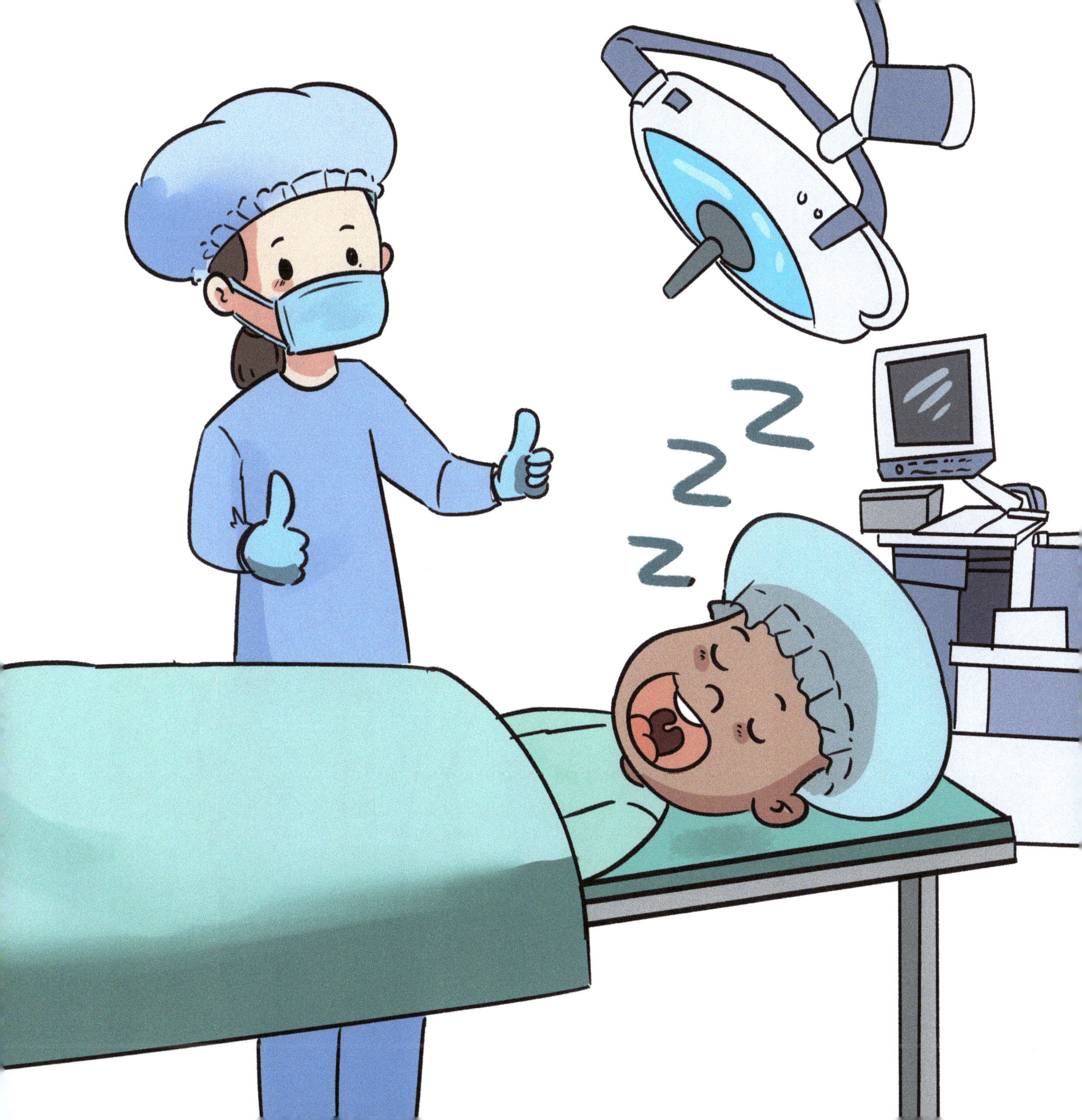

Une fois l'intervention terminée, vous vous réveillerez dans la salle de réveil de l'hôpital.
Vous pourrez ressentir une certaine gêne, et votre gorge pourra être douloureuse et irritée.
Mais ne t'inquiète pas, ton infirmière te donnera un médicament spécial pour t'aider à te sentir mieux.

Tu as réussi !
Tu es courageux !

Il se peut que tu doives parfois rester à l'hôpital après ton opération.

Tes parents ou ton tuteur pourront rester à tes côtés pour veiller à ta sécurité et à ton confort.

Vous pourrez rentrer chez vous dès que vous vous sentirez mieux.

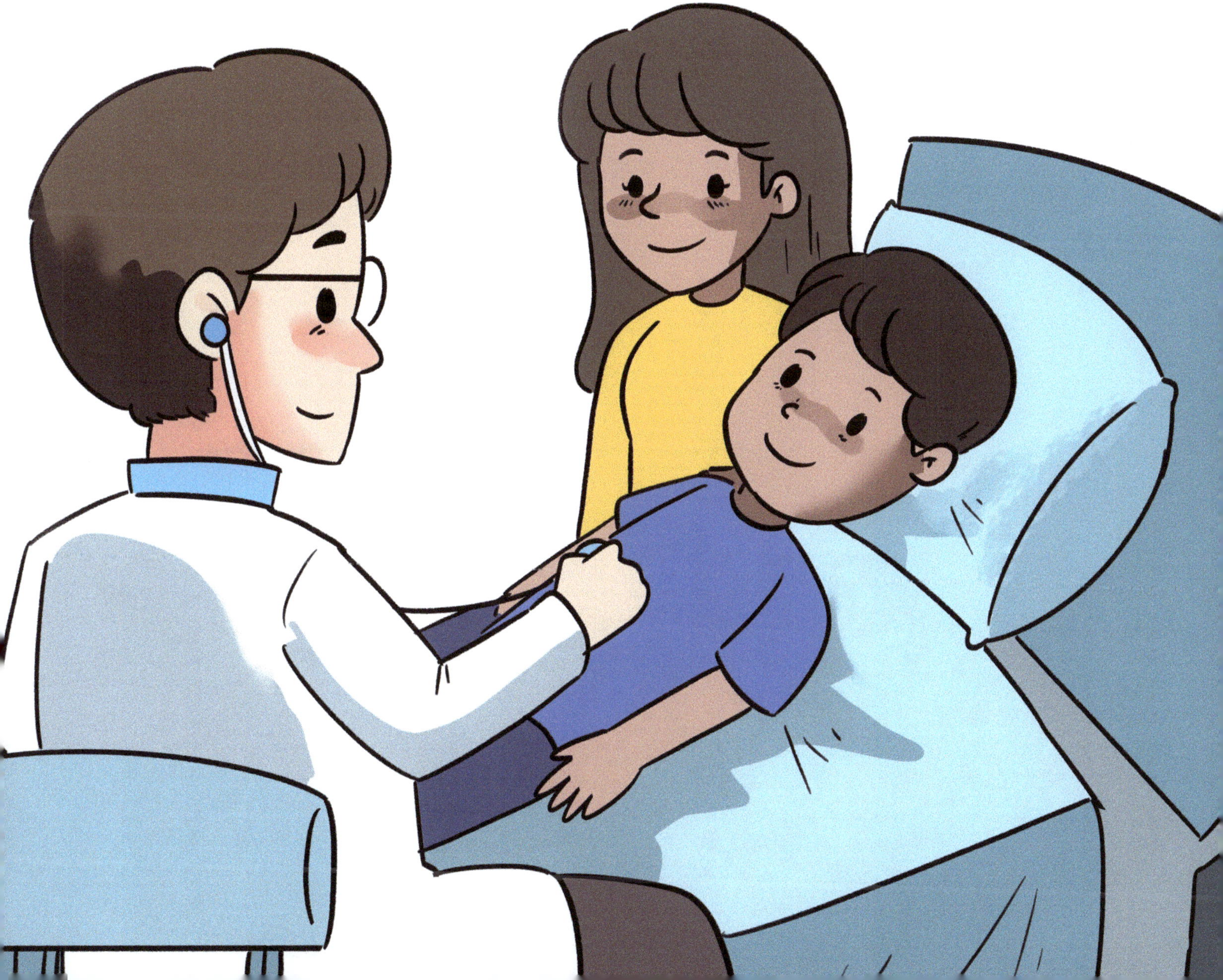

Après l'ablation de tes amygdales,
tu te sentiras bientôt mieux.

Mais avant ça, tu vas pouvoir manger
de la glace ou des glaces à l'eau,
et même en grande quantité !

Quel est ton parfum préféré ?

____

En plus de la glace et des glaces à l'eau, n'oublie pas de boire de l'eau, du jus de fruits, ta boisson préférée ou un smoothie pour aider ton corps à se rétablir plus vite.

Pendant ta convalescence, repose-toi bien.

Tu peux lire tes livres préférés, regarder tes films préférés ou jouer aux cartes.

C'est le moment idéal pour vous détendre et vous concentrer sur votre rétablissement jusqu'à ce que vous soyez complètement remis de votre opération.

Très vite, vous remarquerez que vous respirez mieux et que vous vous sentez mieux, et que votre gorge ne vous fait plus mal comme avant.

Et vous dormirez plus confortablement (fini les ronflements d'ours !).

Que ferez-vous une fois vos amygdales retirées ?

Une fête ? Une célébration ?

Quelle est ta façon préférée de fêter ça ?

Dessine ou écris ton projet de fête ci-dessous.

Bon rétablissement !

Conseils aux parents/tuteurs

- Les calculs amygdaliens se forment lorsque de la salive, des résidus alimentaires et du calcium s'accumulent autour des amygdales. Ces calculs sont rares chez les enfants. De plus, ils tombent généralement d'eux-mêmes sans intervention.
- La mise en place du cathéter intraveineux (IV) chez les enfants de ce jeune âge s'effectue généralement une fois que votre enfant est endormi, dans la salle d'opération ou d'intervention.
- Après l'opération, il est fréquent que les enfants se sentent désorientés, confus ou irritables, et qu'ils pleurent, sanglotent, donnent des coups de pied, crient ou se débattent.
- Consignes et restrictions postopératoires :
Le médecin de votre enfant doit vous donner des consignes précises concernant (1) ce que votre enfant peut et ne peut pas faire pendant la période de convalescence, (2) la durée des restrictions postopératoires et (3) les éventuels suivis postopératoires. De plus, (4) il doit vous indiquer les signes à surveiller et vous préciser dans quels cas il est nécessaire de ramener votre enfant à l'hôpital en cas d'urgence. S'il oublie de le faire, veuillez gentiment le lui rappeler et obtenir ces consignes/restrictions avant de quitter l'hôpital.

Avertissement

Veuillez noter que les illustrations ne sont pas à l'échelle.

Cet ouvrage est destiné à des fins d'information, d'éducation et de développement personnel et ne doit en aucun cas se substituer à un avis médical.

Veuillez consulter le médecin de votre enfant s'il a besoin de soins médicaux et afin de vous assurer que les informations contenues dans cet ouvrage correspondent à son état de santé et à ses besoins. Je ne peux garantir que ce que vit votre enfant correspondra exactement à ce qui est décrit dans cet ouvrage.

L'auteur et l'éditeur ne peuvent être tenus responsables, ni directement ni indirectement, des dommages, pertes financières ou indemnités résultant des informations contenues dans cet ouvrage. En lisant cet ouvrage, les lecteurs acceptent de ne pas tenir l'auteur et l'éditeur pour responsables des pertes résultant d'erreurs, d'inexactitudes ou d'omissions contenues dans cet ouvrage.

Veuillez garder à l'esprit que l'expérience de votre enfant dépend du lieu, de l'établissement, de son état de santé et de l'équipe soignante. Veuillez utiliser cet ouvrage en complément des conseils du médecin de votre enfant. Merci.

Ce livre illustré a-t-il aidé votre enfant d'une manière ou d'une autre ?
Si oui, j'aimerais beaucoup que vous m'en parliez !

https://www.amazon.fr/gp/product-review/B0H1417XX4

Pour découvrir d'autres titres, rendez-vous sur :

www.fzwbooks.com

Contactez l'auteur

email: books@fzwbooks.com
facebook/instagram: @FZWbooks

www.ingramcontent.com/pod-product-compliance
Lightning Source LLC
LaVergne TN
LVHW070912210926
848482LV00017B/1056
* 9 7 9 8 8 9 3 1 8 2 0 4 0 *